À «Rose» Zhang Qiang, «Stone» Shi Hailin, Sem Dui et Sem Chang
À Dimitri

Directeurs de collection :

Laure Mistral
Philippe Godard

Dans la même collection :

Shubha, Jyoti et Bhagat vivent en Inde
Ikram, Amina et Fouad vivent en Algérie

Connectez-vous sur : www.lamartiniere.fr

Conception graphique et réalisation : Elisabeth Ferté

Enfants d'ailleurs

Pascal Pilon et Élisabeth Thomas

Meihua, Shuilin et Dui vivent en Chine

中国

Illustrations Sophie Duffet

De La Martinière
Jeunesse

PAYS VOISINS
PROVINCES
RÉGIONS AUTONOMES

• municipalités
• régions administratives spéciales

KAZAKHSTAN

MONGOLIE

HEILONGJI...

JILIN

LIAONING

XINJIANG

GANSU

MONGOLIE - INTÉRIEURE

Beijing

Tianjin

HEBEI

NINGXIA

SHANXI

SHANDONG

QINGHAI

HENAN

JIANGSU

SHAANXI

ANHUI

Shangh...

TIBET

SICHUAN

HUBEI

ZHEJIANG

• Chongqing

NÉPAL

HUNAN

JIANGXI

FUJIAN

GUIZHOU

YUNNAN

GUANGXI

GUANGDONG

TAIWA...

INDE

Hong kong

Macao

HAINAN

THAÏLANDE

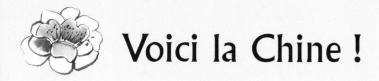

Voici la Chine !

Superficie : 9 600 000 km², soit 17 fois la France ! La Chine est le troisième pays du monde en superficie après la Russie et le Canada.

Population : C'est le pays le plus peuplé du monde avec 1 milliard et 302 millions d'individus selon le recensement de 2002, soit plus d'un cinquième de la population mondiale. La Chine regroupe 56 ethnies (ou « peuples »).
L'ethnie han est très majoritaire, puisque, à elle seule, elle regroupe 92 % de la population chinoise totale. Les 55 autres ethnies sont des ethnies minoritaires ; 18 d'entre elles comptent plus de 1 million de personnes ; certaines utilisent leur propre langue et leur propre écriture.

Densité de population : 137 habitants par km². Les différences sont très fortes : à l'est, on trouve des villes très peuplées (des mégalopoles), mais, à l'ouest, la densité de population est très faible, et plusieurs régions sont même désertiques.

Les principales villes de la Chine :
Beijing (Pékin), la capitale : environ 14 millions d'habitants.
Shanghai : environ 15 millions d'habitants.
Tianjin : 8,8 millions d'habitants.

Climat : Vu l'étendue du territoire et la diversité de son relief, il n'y a pas un climat, mais plusieurs climats. Cela va du climat chaud et humide de type tropical dans la région du Sichuan aux climats arides et froids des zones montagneuses du Tibet.

Produits agricoles : riz, blé, pommes de terre, sorgho, maïs, colza, arachide, thé, millet, orge, coton.

Chômage : 10 % en zone urbaine, 30 % en zone rurale.

Monnaie : le yuan, ou *renminbi* (ce qui signifie « monnaie du peuple »).

L'histoire...

La Chine est longtemps restée mystérieuse. Les Occidentaux l'ont découverte grâce à Marco Polo, un marchand italien du XIIIe siècle. Il y est resté une vingtaine d'années, au service de l'empereur. À son retour, Marco Polo a raconté des histoires extraordinaires, qui n'étaient pas toujours vraies ! Mais il a fait rêver les Européens en leur parlant de palais en or et d'immenses trésors. Le commerce entre l'Europe et la Chine s'est alors développé, très lentement d'abord parce que les distances à parcourir étaient énormes et que les empereurs ne voulaient pas ouvrir leur pays aux étrangers.

Au XIXe siècle, les Britanniques, les Français, les Américains, les Japonais et les Allemands ont pris conscience que la Chine avait pris beaucoup de retard par rapport à eux, notamment sur le plan militaire : leurs armées étaient bien plus puissantes que l'armée chinoise. Ils se sont alors partagé la Chine et l'ont pillée.

En 1911, les Chinois favorables à la modernisation de leur pays ont réagi : ils ont aboli l'empire et proclamé la république. La Chine a alors connu une période de troubles, durant laquelle elle a été dominée par le Japon. Après la fin de la Seconde Guerre mondiale et la défaite du Japon, les communistes chinois et leur chef, Mao Zedong, ont pris le pouvoir. En 1949, ils ont fondé la République populaire de Chine, une importante révolution pour le pays. La propriété privée a été supprimée et la terre partagée entre tous les paysans, pour que tous puissent sortir de la misère. L'État a pris le contrôle des entreprises : tous les Chinois travaillaient alors pour lui et s'enrichir était interdit.

Après la mort de Mao, en 1976, la Chine a commencé à s'orienter vers un système économique plus proche du nôtre. De nos jours, il y a de nouveau des entreprises privées dans le pays, et certains hommes d'affaires chinois amassent des fortunes colossales. L'agriculture est très développée dans l'est du pays, là où se trouvent des plaines fertiles, arrosées par de grands fleuves qui débouchent sur la mer de Chine. Mais, plus on s'éloigne de la mer, en allant vers l'ouest, plus la terre devient rude, voire désertique. Les contrastes entre les villes et les campagnes sont très forts : les paysans chinois utilisent des méthodes traditionnelles, avec peu de tracteurs et de machines, tandis que les industries chinoises sont plus modernes. Les paysans sont bien plus pauvres que les habitants des villes, et beaucoup souhaitent que leurs enfants aillent vivre et travailler en ville.

Aujourd'hui, le monde entier s'interroge sur le devenir de la Chine : certains pensent que ce pays, avec son énorme population, va bientôt dominer le monde. D'autres, au contraire, estiment que cette forte population est un handicap et que le pays est encore trop pauvre pour se développer réellement.

Zhang Meihua, Shi Shuilin et Sem Dui nous invitent en Chine

Afin de partager leur vie, de comprendre les différences entre les régions de la Chine, partons rencontrer ces enfants.

Zhang Meihua est une petite fille de dix ans. Elle fait partie de l'ethnie han, comme neuf Chinois sur dix. Meihua habite dans le Nord-Est, tout près de la capitale, Beijing. Elle adore son pays et va nous raconter son histoire.

Shi Shuilin et son amie Ma Liya vivent à Linxia, au centre du pays. Leur vie est très différente de celle des habitants de Pékin. Shuilin est un garçon han, tandis que Liya est une Hui, une des ethnies minoritaires de la Chine.

Zhang Meihua, Shi Shuilin et Ma Liya parlent tous les trois le *putong hua*, c'est-à-dire la « langue commune », ce que nous appelons en français le mandarin, qui est parlé par 70 % de la population. Dans la famille de Meihua et de Shuilin, on pratique la religion traditionnelle chinoise. Ma Liya, elle, est musulmane.

Puis nous grimperons en autocar de Lhassa, dans l'Himalaya, jusqu'au village de Sem Dui, un petit Tibétain. Sem Dui parle tibétain, une langue qui n'a aucun rapport avec le mandarin, et sa vie est vraiment différente de celle des autres petits Chinois. Sa religion, comme celle de tous les Tibétains, est le bouddhisme.

Zhang Meihua va visiter Beijing

Zhang Meihua est une petite fille âgée de dix ans. En chinois, on écrit d'abord le nom, puis le prénom. Zhang est donc son nom. Son prénom, Meihua, signifie « Fleur de prunier ». On le prononce « mê-roi ».

Meihua habite un petit appartement dans un des grands immeubles de Nanyuan, à quelques kilomètres de Beijing, la capitale. Ses parents sont originaires de la province côtière du Zhejiang, dans le sud-est du pays. Ils sont venus s'installer dans la capitale dans les années 1980, encouragés par le gouvernement qui leur a fourni un logement et surtout du travail dans les nouvelles entreprises textiles. La Chine est aujourd'hui le premier exportateur de textile du monde. Elle vend facilement ses textiles – et bien d'autres produits – dans le monde entier, car les ouvriers chinois sont relativement moins payés que les ouvriers européens ; leur coût est donc moins élevé. En France, par exemple, les produits chinois sont meilleur marché que les produits nationaux, même s'il faut les acheminer par bateau jusqu'à chez nous. L'industrie chinoise est donc très compétitive et elle se développe de plus en plus.

Les grands-parents paternels de Meihua n'ont pas beaucoup d'argent, et ils partagent l'appartement familial. Ils n'ont pas pu faire d'économies ou verser d'argent pour préparer leur retraite car, lorsqu'ils étaient jeunes, le système de retraite n'existait pas encore. Maintenant, certaines entreprises organisent la retraite de leurs employés et l'État est en train de mettre en place un nouveau système de protection sociale plus moderne et plus favorable aux ouvriers.

La capitale de la Chine est Beijing. Aupara-
vant, les Français appelaient cette ville
« Pékin ». Bien sûr, en chinois, il s'agit du même
nom, composé de deux mots qui veulent dire
« capitale du Nord » – car il y a eu autrefois une
« capitale du Sud », Nanjing.

Beijing fut d'abord la capitale des Mongols, puis devint la capitale
de la Chine en 1421. Elle abrita alors la dynastie (succession de souverains
d'une même famille) des empereurs Ming, une famille qui régna de 1368
à 1644. Enfin, ce fut l'une des capitales des empereurs de la dernière
dynastie chinoise, celle des Qing.

Aujourd'hui, Meihua va visiter le centre historique de Beijing avec
sa classe. Le matin, Meihua et ses camarades se retrouvent tôt. Ils sont
tous vêtus de l'uniforme de leur école : tee-shirt orange et casquette

blanche. Le car arrive dans les faubourgs de Beijing. Il se faufile à grands coups de klaxon dans les embouteillages, au milieu des centaines d'immeubles en construction. Le chauffeur explique à Meihua, assise près de lui, que le plan des rues est redessiné tous les six mois, et qu'il n'est pas facile de circuler dans cette ville. On détruit les anciennes ruelles pour créer des rues plus larges et plus modernes. Il y a donc toujours une campagne de rénovation ou de construction en cours. La ville évolue sans cesse. Le chauffeur se désespère : « Voilà quinze ans que je conduis dans cette ville, et pourtant je ne reconnais plus rien !»

 ## La Cité interdite

Le car dépose enfin le petit groupe d'enfants à proximité de la Cité interdite.

Autrefois, du temps où les empereurs de Chine habitaient la Cité, seuls les nobles, les conseillers et les nombreux serviteurs de la famille impériale avaient le droit d'y pénétrer. L'empereur résidait dans le Gugong, le « palais des empereurs », qui est le symbole de la Chine ancienne. La cité, construite entre 1404 et 1420, est immense : elle compte 9 999 pièces construites sur 72 hectares de terrain. C'est une ville à l'intérieur de la ville ! Des douves larges de 52 mètres et une muraille rouge haute de 10 mètres la protègent. Le rouge est une couleur très symbolique en Chine : celle du bonheur. C'est pourquoi on la retrouve sur de nombreux bâtiments.

À chaque angle de l'enceinte se dresse une tour de garde. Les bâtiments sont en bois et reposent sur un soubassement de pierre. Chaque pavillon porte un nom de bon augure : pavillon de l'Harmonie, de la Tranquillité, de la Pureté, de la Longévité… Ce sont les valeurs chinoises de l'époque impériale. Les colonnes et les murs sont rouges, les tuiles sont vernissées de jaune – la couleur de l'empereur – et couvrent les toits recourbés en ailes de faisan. À l'époque impériale, aucun autre édifice de

la capitale ne devait en égaler ni la hauteur ni la splendeur. L'empereur, appelé le « Fils du Ciel », était au-dessus de tout, et personne n'avait le droit de le regarder en face.

 ## Le temple du Ciel

La classe de Meihua quitte la Cité interdite pour se rendre au temple du Ciel.

En Chine, comme dans d'autres civilisations, les éléments naturels – le ciel, la terre, l'eau... – sont considérés comme des dieux : ils donnent la vie ou la mort aux hommes, ce sont d'eux que proviennent les bienfaits et les malheurs. Selon les rites chinois traditionnels, l'empereur devait donc honorer ces puissances pour les inciter à être clémentes avec son peuple. C'est au temple du Ciel que l'empereur avait coutume de se rendre deux fois par an, aux solstices d'été et d'hiver, afin de remercier le ciel et de prier pour qu'il donne de bonnes récoltes.

Meihua et ses camarades pénètrent par l'entrée sud, qui symbolise la terre. Ils suivent un long axe qui monte légèrement vers le nord, symbolisant cette fois le ciel, et qui les conduit au bâtiment principal, le Qiniandian, la « salle de la prière pour les bonnes récoltes ». Situé au milieu d'une esplanade carrée, le pavillon est rond ; il est surmonté de trois toits superposés qui sont recouverts de tuiles vernissées bleues. On y accède après avoir grimpé trois séries de marches. Dans l'Antiquité, c'est ainsi que les Chinois imaginaient le monde : le ciel était rond et la terre carrée.

Dans les jardins de cet immense parc, qui est cinq fois plus grand que la Cité interdite, Meihua aperçoit des groupes d'hommes et de femmes de tous âges. Pour eux, c'est un lieu de rencontres, d'échanges. Les anciens, parfois accompagnés de leurs petits-enfants, viennent y profiter activement de leur retraite en faisant de la gymnastique, pour laquelle ils utilisent parfois des foulards ou des sabres. Les plus jeunes viennent en couple, et certains apportent de gros magnétophones : grâce à eux, la musique traditionnelle anime le parc ! Certains sont regroupés autour de joueurs de *mah-jong*, un jeu de dominos chinois sur lesquels sont dessinés des fleurs, des épées ou encore des caractères d'écriture chinoise. D'autres chantent des passages de l'opéra de Beijing. Ils sont accompagnés par des instrumentistes traditionnels, comme des percussionnistes ou des joueurs de *er hu*, une sorte de violon à deux cordes.

La calligraphie, un art chinois

En sortant de l'enclos du temple du Ciel par la porte est, le groupe s'arrête : un vieil homme est courbé sur un pinceau en mousse. Il le trempe dans un seau d'eau et calligraphie sur le sol de courts extraits de poèmes anciens.

La calligraphie est l'art de bien écrire. En Chine, les grands calligraphes sont aussi célèbres que les grands peintres. Il fait encore chaud et l'eau s'évapore rapidement, effaçant ainsi les premiers caractères avant que les derniers ne soient tracés. Mais les écoliers ont le temps de reconnaître un des poèmes qu'ils ont appris par cœur à l'école : c'est *Nocturne*, de Li Bai, un célèbre poète de la dynastie Tang, une famille qui régna trois cents ans sur la Chine, du VIIe au début du Xe siècle. Meihua le lit à haute voix :

> *La lune repose au pied de mon lit*
> *Et dessine au sol des flaques de givre.*
> *Si j'ouvre les yeux, j'y vois sa clarté ;*
> *Si je les ferme, je pense au pays.*

Le calligraphe s'applique à écrire les caractères avec un grand désir d'élégance. Meihua est émue par les efforts de ce vieil homme. Les signes chinois comportent, pour les plus compliqués, jusqu'à plus de vingt traits. Pour lire un journal, il faut avoir mémorisé au moins trois mille caractères. L'écriture chinoise, au contraire d'un alphabet, ne reproduit pas les sons de la langue parlée. C'est un assemblage de traits qui désigne directement un objet ou une idée.

Comme Meihua semble très intéressée, le vieil artiste lui demande son nom de famille. D'un mouvement ample du bras, il trace sur le sol les traits du caractère formant son nom : « Zhang ». La première partie des traits signifie « arc », la seconde « grandir ». Zhang est un nom très courant en Chine et évoque l'agilité de l'archer. Meihua remercie le vieil homme en s'inclinant avec respect. Mais elle n'a pas le temps de voir son nom s'effacer sous la chaleur du soleil, car déjà sa classe s'éloigne.

Après un rapide et joyeux pique-nique près du temple du Ciel, le car reprend les enfants et les dépose sur la place Tiananmen, qui signifie la « porte de la Paix céleste ».

C'est une étendue immense, où peuvent se réunir un ou deux millions de personnes. La place est noire de monde : des touristes chinois et étrangers et de nombreux groupes d'enfants venus d'autres écoles se faufilent entre les marchands ambulants qui les accostent pour vendre des ombrelles ou des cerfs-volants multicolores. Il faut faire attention à ne pas perdre de vue le drapeau de l'école brandi fièrement par Hong Ming, un camarade de Meihua qui s'est vu attribuer cet honneur car il a obtenu 87 sur 100 à son examen trimestriel. Meihua a été la deuxième de la classe ; elle était déçue de manquer de si peu les privilèges que l'on accorde au meilleur élève.

Se serrant contre Hong Ming pour ne pas se laisser entraîner par la foule, Meihua se dirige vers le monument sous lequel repose le corps du président Mao Zedong, mort en 1976. La queue est bien longue : les Chinois sont nombreux à venir rendre hommage à celui qu'ils saluent comme le dirigeant qui a fait de la Chine une puissance reconnue dans le monde entier.

La révolution de Mao Zedong

M onsieur Xu, le professeur d'histoire qui les accompagne, leur a déjà parlé maintes fois de Mao.

Devant le cercueil de verre où est exposé son corps momifié, le professeur rappelle que c'est sur cette place que Mao proclama la République populaire de Chine, le 1er octobre 1949. L'arrivée au pouvoir des communistes mettait fin à près de quarante ans de guerre civile et de lutte contre les Japonais qui occupaient la Chine.

Meihua connaît bien l'histoire de son pays, car, à l'école, M. Xu évoque très souvent les souffrances qu'a connues le pays jusqu'en 1949. Au début du XXe siècle, la Chine était soumise à la pression des puissances occidentales et du Japon, qui s'accaparaient ses richesses. En 1911, la révolution provoqua la chute du dernier empereur, Puyi, renversé par les républicains. Mais la Chine restait très pauvre, et les chefs qui se succédaient pour gouverner le pays ne parvenaient pas à soulager l'effroyable misère du peuple. En 1921, le parti communiste chinois fut créé. Son but était de donner le pouvoir aux ouvriers et de mener une politique favorable au peuple. Les communistes chinois étaient alors très peu nombreux. En 1927, ils tentèrent un soulèvement dans les villes. Ils furent durement réprimés par le parti adverse, celui des nationalistes.

Mao réorganisa alors le parti communiste en s'appuyant non plus sur les ouvriers des villes, mais sur les paysans, qui représentaient l'immense majorité de la population. Il créa une véritable armée qui s'installa petit à petit dans les campagnes. En 1937, un bouleversement important se produisit : le Japon envahit la Chine. Les communistes et les nationalistes cessèrent alors de se battre entre eux et s'allièrent dans un front uni pour résister aux Japonais. À la fin de la Seconde Guerre mondiale, en 1945, le Japon capitula. En Chine, communistes et nationalistes se retrouvèrent face à face. Ils reprirent leur lutte, et les nationalistes furent vaincus en 1949. Ils furent chassés de la Chine continentale et s'enfuirent sur l'île de Taiwan, où ils fondèrent la « République de Chine ». Les dirigeants de la République populaire de Chine considèrent que Taiwan est une province comme les autres, et ils espèrent qu'un jour prochain l'île fera de nouveau partie de la Chine.

La Révolution culturelle

La Chine a bien changé depuis 1911. En un siècle, elle est devenue la sixième puissance économique du monde.

Les grands-parents de Meihua lui ont parlé des difficultés que le pays a rencontrées pour en arriver là, et des erreurs commises par Mao pendant la Révolution culturelle, entre 1966 et 1976. Durant cette période, Mao et ses partisans voulurent que tous les Chinois deviennent des révolutionnaires et rejettent les valeurs anciennes comme la famille, la religion et les traditions. C'est ce que Mao appelait « mettre la politique au poste de commande ». Le peuple devait chasser les mauvais dirigeants, qui se disaient communistes mais qui, selon Mao, étaient en réalité des adversaires du communisme. Les partisans de Mao affirmaient que leur chef était le seul capable de guider la révolution.

Pour dénoncer les mauvais dirigeants, il fallait lancer une nouvelle révolution, qu'on appela la « Révolution culturelle », car il était nécessaire de changer la culture des Chinois, leurs mentalités. Pour réussir ce bouleversement de la société, Mao s'appuya sur les jeunes. Des millions

d'entre eux s'enrôlèrent alors dans les « gardes rouges ». Ils parcouraient le pays en détruisant tous les vestiges du passé sous prétexte de permettre la naissance d'une humanité nouvelle. De très nombreux Chinois, notamment les intellectuels, furent dénoncés par leurs anciens camarades, qui les accusaient de vouloir revenir à l'époque passée, celle de la République ou même de l'empire. Ils furent punis et envoyés dans des camps de rééducation où ils étaient forcés de travailler dans des conditions très difficiles. Certains furent même condamnés à mort. Ces années de guerre civile ruinèrent presque la Chine, et la vie quotidienne devint très difficile pour chacun.

Après la mort de Mao, en 1976, ses successeurs se préoccupèrent principalement de développer l'économie du pays, abandonnant peu à peu les idées de Mao. Beaucoup de dirigeants qui avaient été emprisonnés pendant la Révolution culturelle revinrent au pouvoir.
Aujourd'hui, la Chine s'éloigne progressivement des idéaux communistes : les entreprises privées apparaissent et les Chinois peuvent s'enrichir en commerçant avec l'étranger.

毛主席语录

petit livre rouge

De retour chez elle, Meihua fait brûler des bâtons d'encens en remerciement de cette journée. Elle dépose une pomme devant l'autel des ancêtres, qui est une petite table sur laquelle sont disposés les plaquettes de bois portant le nom des ancêtres, un vase pour faire brûler les bâtonnets d'encens et les offrandes de nourriture.

En Chine, on considère que les ancêtres et les divinités veillent sur le peuple ici-bas. Leur faire des offrandes, les honorer, c'est s'assurer leur protection. C'est la raison pour laquelle on trouve dans chaque maison un autel des ancêtres. Ce rite a pour fonction de maintenir la force de la lignée, de façon que chacun soit bien conscient de ses origines, de l'importance de la famille. Cette tradition a été instaurée par Confucius, un sage du VIe siècle avant notre ère. Le confucianisme n'est pas vraiment une religion, car il n'y a pas de dieu. Il s'agit plutôt d'une morale, avec un ensemble de règles qui définissent les relations entre l'empereur et ses sujets, et celles entre les membres de la famille, ancêtres disparus, parents, enfants. Les sujets doivent obéissance à l'empereur, le fils doit obéissance au père.

À l'origine, seul l'empereur rendait un culte à ses ancêtres, puis la tradition s'est étendue à toute la société. Pendant la période communiste, les partisans de Mao ont combattu la morale de Confucius et les religions, qui étaient considérées comme un « poison ». Mais les Chinois ont toujours maintenu cette pratique, qui s'est parfois mélangée avec le taoïsme.

Le taoïsme est une autre philosophie, fondée par Laozi (ou Lao-tseu), un sage qui aurait vécu au VIe siècle avant notre ère, à peu près à la même époque que Confucius. Selon Laozi, l'homme doit trouver son *tao* (un mot chinois qui signifie « voie, chemin »), sa place dans l'univers. Il ne doit surtout pas agir contre l'harmonie du monde, contre la vie naturelle.

Par exemple, chacun doit refuser de se plier à des règles sociales ou politiques si elles sont injustes : il faut refuser la corruption, la flatterie pour obtenir des avantages, ou encore ne pas accomplir les ordres d'un chef si l'on pense qu'ils sont mauvais. Seule l'harmonie compte. Elle est constituée du *yin*, élément féminin, et du *yang*, élément masculin, et l'un et l'autre se complètent parfaitement.

Peu à peu, le taoïsme est devenu une religion. Les taoïstes vénèrent différents dieux : le dieu de la Terre, qui donne la nourriture ; le dieu de l'Eau, qui fait pousser les récoltes ; le dieu du Ciel, qui veille, comme les ancêtres, sur le bonheur de la famille. Par la méditation, la contemplation de la nature et l'observance de rites quotidiens très précis, les croyants se préservent des mauvaises actions et des maladies. Toutes ces pratiques doivent permettre d'atteindre l'immortalité. Selon la tradition taoïste, c'est dans les tablettes de bois, comme celles des ancêtres de Meihua, que résident vraiment les esprits des disparus.

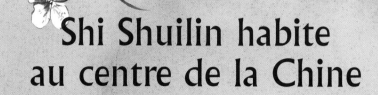

Shi Shuilin habite au centre de la Chine

Shi Shuilin est un jeune garçon de onze ans. Avec sa grande sœur, il s'amuse à reconstituer le puzzle que sa mère lui a rapporté du marché de Linxia, la ville où il habite, dans la province du Gansu, au centre du pays. C'est une carte de la Chine en plastique. Pour Shuilin, ce jeu permet de réviser la géographie tout en s'amusant : il doit replacer comme il faut les 23 provinces (Taiwan y compris) et les 5 régions autonomes.

Les régions autonomes sont peuplées par des ethnies minoritaires, comme la région autonome de Xinjiang, où les Ouïgours, un peuple musulman, sont très nombreux. Dans une région autonome, ce sont les gens qui y habitent qui devraient prendre la plupart des décisions qui les concernent. En réalité, les décisions les plus importantes se prennent toujours à Beijing.

Shi Shuilin et sa sœur Bao

Shuilin a bien de la chance de pouvoir jouer avec sa grande sœur, Bao. Rares sont les enfants chinois qui ont un frère ou une sœur ! À partir des années 1970, les dirigeants chinois ont constaté qu'un trop fort accroissement de la population était défavorable au développement du pays. S'ils devenaient trop nombreux, les Chinois risquaient de ne plus trouver d'emploi ni de logement et n'auraient plus accès à des soins de santé de bonne qualité. Le gouvernement a alors décidé que, dans les grandes villes, les couples ne pourraient plus avoir qu'un seul enfant. Mais à Linxia,

qui est bien loin de Beijing, la politique s'est appliquée de façon moins rigoureuse, et les parents de Bao et de Shuilin ont pu avoir deux enfants.

La « politique de l'enfant unique » a rencontré beaucoup d'opposition et d'hostilité, surtout dans les campagnes. Chez les paysans, la tradition voulait qu'un fils – et non une fille – hérite de tout ce que possédaient les parents à leur mort. Dans les régions pauvres, les fils sont censés assurer la retraite de leurs parents. C'est pourquoi, quand le premier enfant était une fille, les parents en voulaient absolument un deuxième ! À partir de 1979 et jusque dans les années 1980-1990, avoir un second enfant signifiait désobéir à la loi. Certains couples qui avaient trois ou quatre enfants ont ainsi été punis, des familles ont été séparées. Puis, avec la technique de l'échographie, qui permet de connaître le sexe du bébé bien avant sa naissance, certains couples ont pu décider de ne garder le bébé à naître que s'il était un garçon. Si c'était une fille, ils choisissaient l'avortement.

Tout cela a eu pour effet de déséquilibrer l'égalité naturelle des naissances entre les deux sexes : il n'y a plus assez de filles en Chine. Au début des années 2000, il naissait environ 111 garçons pour 100 filles. Et l'écart a tendance à augmenter. Afin de réduire ce déséquilibre croissant, certaines provinces interdisent désormais la détection du sexe du fœtus avant la naissance pour éviter que les mères ne se fassent avorter.

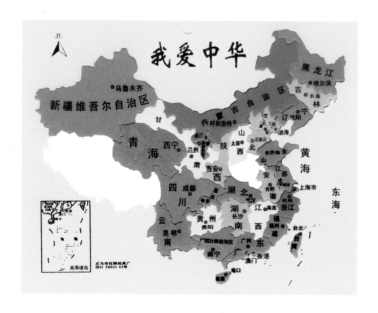

Puzzle représentant la Chine et ses différentes provinces et régions.

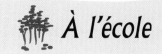 # À l'école

S huilin est au sixième niveau de l'école, le dernier niveau avant le collège.

Au cours de langue chinoise, il a déjà appris à écrire les caractères en respectant l'ordre des traits. Pour enrichir son vocabulaire, il s'efforce de mémoriser, de reconnaître et d'écrire sans cesse de nouveaux signes. Il a aussi appris plusieurs poèmes classiques que le maître fait réciter aux élèves, debout devant leurs camarades de classe. Les écoliers font aussi des mathématiques, des sciences, de l'histoire, du sport. Ils chantent des chants patriotiques. Ils ont des cours de morale politique : ils doivent réciter par cœur des préceptes et des slogans du parti communiste.

Shuilin ne voudrait pas décevoir ses parents, qui espèrent qu'avec un bon niveau d'enseignement sa vie sera meilleure que la leur. Son père est employé des Télécommunications et sa mère est aide-soignante à l'hôpital. En plus des cours de la journée, ses parents paient pour qu'il reste à l'étude du soir, durant laquelle un professeur fait travailler les meilleurs élèves. Pour l'enseignant aussi, la réussite de ses élèves est primordiale, car son salaire en dépend : si les élèves ont de bons résultats, le maître est mieux payé. Les parents de Shuilin ont annoncé à leur fils que, si ses résultats n'étaient pas assez bons aux examens trimestriels, il irait aussi étudier le samedi ! Certains de ses camarades ont même des cours de rattrapage pendant les vacances, pour progresser encore et toujours. Il faut travailler dur, car l'année prochaine, c'est l'entrée au collège : une sélection aura lieu et seuls les meilleurs seront acceptés dans les écoles les plus renommées.

Même si Shuilin proteste quelquefois contre ses parents, il se rend compte qu'il a de la chance. Un jour, devant un restaurant de la ville d'où sortaient des touristes étrangers, il a vu deux enfants mal habillés et sales qui mendiaient quelques pièces. Son père lui a expliqué que les parents des enfants comme ceux-là sont souvent des paysans pauvres venus travailler dans les grandes villes. De nombreuses familles, attirées par le développement économique urbain, émigrent vers les villes en espérant trouver un emploi. Elles doivent obtenir un certificat d'embauche et un permis de résidence temporaire, mais beaucoup n'obtiennent pas ces papiers, pourtant indispensables pour inscrire les enfants dans les écoles publiques. Ceux qui ne trouvent pas de travail ne reçoivent pas l'aide de l'État. Ils vivent alors dans des conditions précaires, parfois même dans la rue, et leurs enfants ne vont pas à l'école.

Partir vers l'est ?

Shuilin ne connaît pas encore le métier qu'il veut faire plus tard, mais il aimerait bien être ingénieur des Télécommunications, comme son père.

Pour cela, il faut qu'il améliore son niveau scolaire. Il sait que la compétition est difficile : chaque jour, le professeur le répète à ses élèves, et le soir, quand il rentre chez lui, ses parents suivent de près ses résultats. À chaque mauvaise note, son père lui rappelle qu'il n'est pas tout seul à vouloir partir vers l'est pour s'installer à Shanghai ou à Canton, où le niveau de vie est plus élevé.

Beaucoup de jeunes Chinois qui vivent dans le centre ou dans l'ouest du pays veulent quitter leur région. À la télévision ou dans les magazines, ils voient les images des villes modernes de l'Est, avec leurs gratte-ciel, leurs autoroutes, des voitures très

nombreuses, alors que, dans le reste du pays, on se déplace surtout à vélo, en bus ou en camion. Dans les « zones économiques spéciales » (d'immenses zones industrielles installées dans l'Est, encore l'Est !), des usines gigantesques produisent surtout pour les pays étrangers : navires, machines-outils, habillement, chaussures, jouets… Les salaires sont plus élevés que dans le reste de la Chine, mais encore très bas par rapport aux pays occidentaux, ce qui permet de vendre facilement les marchandises chinoises aux Européens ou aux Américains qui les trouvent peu chères. Le commerce de la Chine se développe ainsi d'une façon extraordinaire.

Ces bouleversements économiques sont récents, puisqu'il a fallu attendre le retour au pouvoir de Deng Xiaoping, en 1977, pour que l'économie chinoise se modernise. Deng avait été un dirigeant très important du parti communiste chinois, puis il avait été écarté au moment de la Révolution culturelle. À partir de 1977 et jusqu'à sa mort, en 1997, il a mis au point un programme très différent de celui des partisans de Mao. Auparavant, seul l'État chinois pouvait faire du commerce avec l'étranger, mais, avec les réformes de Deng, les entreprises privées ont commencé à s'installer.

Les minorités ethniques

Shuilin a appris que la population la plus importante de Chine est celle à laquelle il appartient, les Han.

Les Han sont plus de 1,2 milliard et constituent donc la principale ethnie de Chine (et du monde !). Les premières traces de leur histoire ont été découvertes dans les bassins des fleuves Huang He (le fleuve Jaune) et Yangzi Jiang (le fleuve Bleu). C'est là en effet que se sont établis les premiers agriculteurs, il y a près de 10 000 ans. Et c'est dans ces régions que sont apparus plus tard, il y a 6 000 ans, les premiers souverains, puis les premières dynasties il y a plus de 4 000 ans. L'histoire de la Chine est donc très ancienne.

Tous les Chinois actuels ne sont pas des Han. À l'école, Shuilin a une amie, Ma Liya, qu'il aime beaucoup. Ses cheveux sont couverts d'un petit

voile blanc qui indique que Ma Liya est musulmane. Elle fait partie d'une autre ethnie, l'ethnie hui. Shuilin est un élève moyen, alors que Ma Liya est brillante : le maître l'a installée au premier rang avec les meilleurs élèves.

Shi Shuilin rentre tous les soirs chez lui, car il habite près de l'école. Ma Liya, elle, est pensionnaire. Ses parents vivent à plus de 20 kilomètres de l'école et les cars de ramassage scolaire ne passent pas par son village. Souvent, Ma Liya est triste en pensant à sa famille, alors Shuilin reste discuter avec elle.

Ma Liya lui parle de la communauté des Hui, qui constitue la moitié du million et demi d'habitants que compte la population de la ville.

Les Hui sont de religion musulmane. Les premiers musulmans sont entrés en Chine au VIIe siècle par les « routes de la Soie ». La plupart étaient des commerçants qui traversaient l'Asie centrale pour échanger les produits des pays arabes du Moyen-Orient contre ceux de l'Asie, comme la soie, qui était très réputée. Au XIIIe siècle, de nombreux marchands arabes et perses s'installèrent dans le nord-ouest de la Chine. Ils firent de Linxia le centre musulman de cette région. Aujourd'hui encore, les minarets des nombreuses mosquées dominent les toits de la ville. Et, partout, on peut entendre les appels à la prière.

Des 56 ethnies qui composent la nation chinoise, 10 sont musulmanes, dont les Hui. Les jeunes Hui apprennent aussi l'arabe au collège. Cette langue leur permet d'approfondir leur connaissance du Coran, et certains s'en servent pour faire du commerce avec les pays arabes. Toutefois, la langue maternelle des Hui reste le chinois.

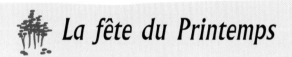

La fête du Printemps

Les enfants se réjouissent car la fête du Printemps approche. C'est l'occasion de se réunir en famille, de s'amuser et de se régaler !

Cette fête correspond au premier jour du calendrier lunaire, différent du calendrier occidental qui se fonde sur le cycle du Soleil. Le calendrier lunaire est basé sur l'intervalle de temps qui sépare deux nouvelles lunes : 29 ou 30 jours, ce qu'on appelle un « mois lunaire ». Selon l'astrologie chinoise, chaque année porte un nom d'animal : rat, bœuf, tigre, lièvre, dragon, serpent, cheval, chèvre, singe, coq, chien, cochon. Les Chinois attribuent à ces animaux des vertus particulières qui influenceraient le destin des gens nés sous leurs signes.

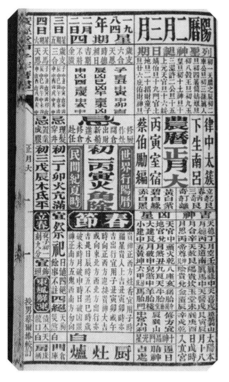

En 1911, les autorités républicaines, afin de faciliter les relations internationales, ont adopté le calendrier solaire pour l'administration. Le calendrier lunaire est cependant toujours utilisé pour les fêtes traditionnelles. La fête du Printemps, qui correspond à la première pleine lune de l'année lunaire, est la fête du Nouvel An chinois. Sa date varie entre la fin janvier et le début février de notre calendrier.

Pour cette fête, la maman de Shuilin commence par nettoyer la maison à fond, car, pendant trois jours, on ne fera plus le ménage. Pas question de balayer le bonheur qui va entrer avec le Nouvel An !

Le dernier jour de l'année est enfin arrivé. Shuilin regarde son père brûler l'image du dieu du Foyer qui monte au ciel pour faire son rapport à l'Empereur de Jade, le gouverneur du Ciel, sur les bonnes ou mauvaises actions de la famille. Pour l'empêcher de trop parler et de faire un mauvais rapport, on lui prépare des beignets sucrés avec un sirop gluant qui lui collera les lèvres !

En chinois « poisson » se dit *yu*, et le même son veut aussi dire « abondance ». La maman de Shuilin prépare donc un poisson, plat qui symbolise l'abondance qui arrive dans la maison avec la nouvelle année. En famille, on prépare les *jiaozi*, des raviolis en forme de demi-lune. C'est un plat convivial : *jiao* veut dire « assembler ». On doit donc être nombreux pour les préparer.

La pâte est à base de farine et d'eau. La farce est un hachis de viande de porc (ou de mouton) et de légumes parfumés à l'ail, à l'huile de sésame et aux « cinq épices ». Ce mélange fameux compte en réalité sept épices : gingembre, poivre, cannelle, anis étoilé, clou de girofle, cardamome et réglisse. La pâte est divisée en plusieurs parties, chacune roulée en forme de cordon que l'on coupe en petits morceaux. Ensuite, ces morceaux sont écrasés avec la paume de la main, puis étalés à l'aide d'un minirouleau, de manière à leur donner une forme ronde. On met alors la farce au centre et on rabat le chausson. La fermeture se fait par pression des doigts, de manière à donner au ravioli la forme du *yuan bao* (lingot d'argent de cinquante onces, d'une forme de demi-lune légèrement bombée au centre). Une fois consommé, ce petit « lingot » permet à chacun d'« accueillir la fortune et d'entrer dans la richesse », comme disent les Chinois. Ces *jiaozi* sont cuits à l'eau bouillante. Ils sont servis avec une sauce faite d'un mélange de vinaigre, de sauce de soja, d'ail écrasé et d'huile de sésame. Les *jiaozi* sont confectionnés la veille du Nouvel An. Ils doivent être terminés au plus tard avant minuit. Ils sont ensuite mangés au moment où l'on quitte l'ancienne année pour aborder la nouvelle.

Après le repas, Shuilin et sa sœur attendront avec impatience la remise des *hong bao*, les enveloppes rouges qui contiennent l'argent des étrennes. Puis toute la famille ira faire éclater les pétards devant la maison. Le bruit des pétards est censé faire peur aux mauvais esprits et les faire fuir, afin qu'ils n'entrent pas dans la maison. Dans les grands centres urbains, cette pratique est maintenant interdite pour éviter les incendies.

La recette des jiaozi

Pour 35 à 40 raviolis

Pâte :

 500 g de farine
 270 g d'eau

Farce :

 300 g de porc ou de mouton haché
 150 g de chou chinois émincé et dégorgé au sel
 1 pincée de « cinq épices »
 2 bouquets de coriandre fraiche ciselée
 10 g de gingembre frais pelé et haché
 2 gousses d'ail hachées
 1 cuillère à soupe de sauce de soja
 1 cuillère à soupe d'huile de sésame
 1 œuf

Mélangez la farine et l'eau jusqu'à ce que la pâte devienne élastique.
Laissez reposer 1 heure. Pendant ce temps, mélangez ensemble tous les
ingrédients pour la farce. Roulez la pâte en cordon et découpez des rondelles
que vous écraserez avec la paume de la main et que vous étalerez au rouleau
à pâtisserie. Garnissez la pâte avec la farce et fermez bien le chausson.
Plongez les chaussons par petites quantités dans une grande casserole
d'eau bouillante et laissez cuire jusqu'à ce qu'ils deviennent transparents.
Égouttez puis tenez au chaud dans une serviette en tissu.

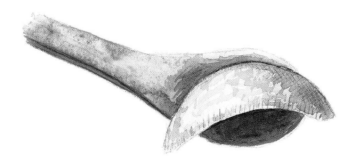

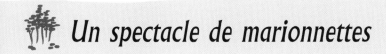

Un spectacle de marionnettes

Le lendemain, comme les élèves sont en vacances pour une semaine, Shuilin va se promener dans les rues de la ville. Il retrouve ses copains du quartier qui jouent dans les ruelles. Tout à coup, ils entendent un fracas de gongs et de cymbales, provenant d'une petite allée.

Devant les colonnes rouges d'un temple taoïste, on a dressé une sorte de petit château en bois. Les personnes âgées ont apporté des chaises pliantes, tandis que les plus jeunes sont assis à même le sol. Les anciens savent par cœur les dialogues les plus connus, car les spectacles de marionnettes sont très courants en Chine et les histoires jouées font partie du patrimoine que chacun connaît depuis l'enfance. On vient y assister en famille, mais on n'écoute pas toujours ce qui se dit : les spectateurs parlent en attendant les passages les plus appréciés. Certaines pièces peuvent durer trois heures !

Ce spectacle est donné en hommage à Yuhuang, l'Empereur de Jade, la principale divinité pour les taoïstes. Les personnages sont des marionnettes de 30 centimètres de haut. Il faut un marionnettiste pour chacune, car elles sont pourvues de jambes et de pieds que l'on fait bouger d'une main, tandis que l'autre main anime la tête et les bras. Certaines ont la bouche et les sourcils articulés. Elles peuvent tenir des armes, des éventails ou des ombrelles. Elles sont vêtues de costumes richement brodés, leurs visages sont peints de couleurs différentes selon les personnages qu'elles représentent. Sur la droite du petit château de bois est installé l'orchestre, qui suit attentivement les mouvements des comédiens de bois et de tissu.

Il y a, autour du joueur de tambour qui dirige l'orchestre, des percussionnistes, des violonistes et des joueurs de hautbois. À la vue des deux personnages qui apparaissent – un singe au visage blanc et or et un personnage à tête de cochon – Shuilin reconnaît tout de suite l'épisode qui va suivre : c'est celui d'un célèbre roman ancien, *Le Voyage vers l'Occident*, qui raconte les aventures d'un moine parti vers l'Inde pour en rapporter des textes sacrés. Il a pour gardes du corps Sun Wukong, le Roi Singe, et le Cochon aux Huit Vœux. L'extrait qui est présenté décrit le moment où l'Esprit du Squelette blanc se transforme en jeune fille pour séduire le cochon, mais il est démasqué par Sun Wukong qui le met en fuite. Les marionnettes semblent vraiment vivantes ! Elles marchent, courent, virevoltent dans les airs, puis sont rattrapées au vol par les manipulateurs. Celle de l'Esprit du Squelette est même pourvue d'un mécanisme qui lui permet de changer de visage. Shuilin est en admiration devant ce spectacle qui parvient à reproduire en miniature le théâtre d'acteurs. Lorsqu'elles sont maniées avec habileté, les marionnettes sont aussi somptueuses que les vrais acteurs.

Sem Dui, un enfant du Tibet

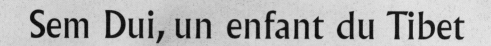

Ce sont bientôt les vacances d'été. Sem Dui, comme beaucoup d'autres petits Tibétains, va quitter la capitale de la région, Lhassa, où il est pensionnaire. Il va prendre le car pour rejoindre le petit village de Mendui, où se trouve la maison de sa famille. Le jeune garçon est fier de son pays, de sa culture, de sa langue, de ses coutumes, qui sont très différentes de celles de Meihua ou de Shuilin.

Le Tibet est situé dans l'Himalaya, la plus haute chaîne de montagnes du monde. Il est difficile d'y accéder et la région est longtemps restée indépendante. Sous la dernière dynastie d'empereurs chinois, les Qing, le Tibet était même presque totalement isolé du reste du monde : les empereurs n'avaient plus les moyens militaires de faire respecter leur autorité aux Tibétains. Mais au XXe siècle, la région a été bouleversée : l'Inde, au sud de l'Himalaya, est devenue indépendante en 1947, puis, au nord, les communistes chinois ont pris le pouvoir en 1949. Le Tibet est alors devenu une zone très convoitée pour des raisons économiques et militaires : l'Himalaya constituait une sorte de barrière naturelle entre ces deux immenses pays, l'Inde et la Chine. En 1950, les communistes chinois se lancèrent à la conquête du Tibet, qu'ils considéraient comme appartenant à la Chine. Ce fut un terrible drame : plus d'un million de Tibétains, qui tentaient de résister aux troupes chinoises, furent tués.

Depuis, le Tibet est devenu l'une des régions autonomes de la République populaire de Chine. Son nom officiel est « région autonome du Xizang ».

Le Xizang est peuplé d'une ethnie minoritaire en Chine, les Tibétains, qui parlent une autre langue que les Han, le tibétain, qui n'a rien à voir avec le chinois. Comme tous les Tibétains, Sem Dui est très croyant et pratique la religion bouddhiste.

Le bouddhisme fut fondé il y a plus de 2 500 ans, par Siddharta Gautama, un prince de la famille Sakya qui, après avoir découvert la misère du monde, décida de renoncer à son palais, à son titre de prince et à tous ses biens. Par la pauvreté et la méditation, il devint le Bouddha (ce qui signifie l'« Éveillé ») Sakyamuni.

Le Bouddha enseigne un mode de vie non violent, respectueux de tous les êtres. Sa doctrine s'appuie sur la croyance que tous les êtres vivants sont inscrits dans un cycle infini de renaissances sous des formes différentes – humaines ou animales. Chaque nouvelle vie est déterminée par les bonnes ou mauvaises actions que l'on a faites dans la précédente. Mais la vie est douloureuse, car il n'est pas facile de supporter tout le malheur que l'on voit autour de soi, dit le Bouddha. Pour se délivrer de la souffrance due à ces renaissances, le bouddhisme propose un chemin qui conduit à l'Éveil, à l'état de sagesse totale, le *nirvana*. Bien après la vie du Bouddha, au VIIIe siècle de notre ère, le bouddhisme fut introduit au Tibet par le maître indien Padmasambhava.

La connaissance des textes sacrés est enseignée par les lamas, qui ne sont pas tous moines. Les lamas peuvent se marier et avoir des enfants, tandis que les moines se plient aux règles des monastères.

 ## *Sem Dui visite le Potala à Lhassa*

Le collège de Sem Dui se trouve au cœur de Lhassa. Le marchand de glaces, installé à côté, est envahi tous les après-midi par une troupe d'écoliers en uniforme. Celui de Sem Dui est rouge et blanc.

Lhassa se situe à 3 500 mètres d'altitude, en plein cœur de l'Himalaya. La ville est restée longtemps mystérieuse, et très peu d'étrangers avaient la chance de la visiter. Les rois et les dalaï-lamas (les chefs religieux et politiques des bouddhistes tibétains) ne désiraient pas que le pays subisse d'influence extérieure. Ils refusaient donc l'entrée du pays à presque tous les étrangers. Mais, depuis 1981, tout cela a changé : la ville est ouverte aux touristes. Sem Dui les voit déambuler autour du monument le plus imposant de Lhassa, le Potala. Ils ont les yeux grands ouverts et l'appareil photo en bandoulière.

Comme tout Tibétain souhaite le faire au moins une fois dans sa vie, Sem Dui a visité le Potala, qui est à la fois un palais et un monastère. Le Potala est construit sur la montagne Rouge, et domine la ville.

De l'extérieur, c'est un immense assemblage de constructions blanches et rouges réparties sur treize étages, de 360 mètres de long et de 117 mètres de haut. Les différents niveaux du « palais rouge » sont réservés aux moines, et ceux du « palais blanc » à l'administration. À l'intérieur, on accède par un dédale de couloirs étroits à des salles-sanctuaires enfumées par le beurre de yack (sorte de bœuf) qui brûle dans de petites lampes. Les Tibétains utilisent en effet le beurre que donnent les femelles des yacks, les *dris*, comme combustible pour s'éclairer. Ces salles sacrées abritent des trésors : des *chörtens* en or. Les *chörtens* sont des monuments qui contiennent les reliques : les corps des précédents dalaï-lamas. Dans ces salles sont aussi exposées des peintures très anciennes représentant des dieux, des déesses, des monstres qui gardent les cieux et qui lancent des regards terribles. Mais Sem Dui n'en a pas peur : il connaît tous ces personnages depuis l'enfance, et sait qu'ils sont là pour barrer l'entrée aux esprits malfaisants. On raconte leurs histoires, leurs légendes, dans les longues veillées familiales.

Dans une grande salle se trouve le trône du dalaï-lama, dont le nom, d'origine mongole, veut dire « Océan de sagesse ». Le dalaï-lama a refusé de reconnaître l'autorité que la Chine exerçait avec vigueur, voire avec violence, sur le Tibet après 1950, et il s'est enfui en Inde, où il est en exil depuis 1959. Il n'habite donc plus le Potala.

Le Potala est devenu un musée, classé au patrimoine mondial de l'humanité. Des textes sacrés du bouddhisme y sont conservés, enveloppés dans de grands morceaux de soie jaune et gardés précieusement. Les pèlerins tibétains déposent des offrandes. Les moins riches apportent avec eux le beurre de leurs yacks et le versent dans les nombreuses lampes qui éclairent les statues des divinités. Les plus aisés déposent de l'argent. Sem Dui verse son offrande de beurre et récite des prières. L'atmosphère qui règne en ces lieux est recueillie, on vient chercher bénédictions et mérites pour cette vie et les suivantes, car les bouddhistes tibétains croient qu'ils vont se réincarner : après leur mort, ils vont connaître une autre vie dans un corps différent.

La route vers Mendui

La zone où domine la culture tibétaine s'étend sur 3 800 000 km², ce qui représente sept fois la France. Elle est bien plus grande que la seule région autonome du Tibet, qui ne fait que 1 200 000 km², soit un peu plus de deux fois la superficie de la France.

Où que l'on soit, on reconnaît les villages tibétains : au-dessus de l'entrée, un petit four en forme de *chörten* laisse s'envoler vers le ciel et les dieux la fumée du bois de genévrier. Au-dessus de chaque maison sont ancrés les *lungta*, les « chevaux-de-vent », drapeaux sur lesquels sont écrites les prières que le vent disperse sur les terres et fait s'envoler vers les divinités.

Pour rentrer dans son village, Sem Dui prend un petit bus, qui est bondé. On se bouscule pour faire rentrer les bagages et les ballots contenant tout ce que les villageois ont acheté à la ville : tissus, casseroles, couettes, harnais pour les chevaux… *Tashi delek !* « Bonjour ! » On se salue, on se donne les dernières nouvelles, on sort les Thermos de thé au beurre de yack et on attend patiemment que le bus démarre en faisant tourner les petits moulins à prière portatifs. Ce sont des cylindres en métal pourvu d'un manche et contenant un *mantra* (une prière) enroulé autour de l'axe du moulin ; lorsqu'un bouddhiste le fait tourner, il met en mouvement l'énergie du mantra qui se déploie vers les esprits ; c'est comme s'il priait.

Deux moines font aussi partie du voyage ; ils récitent leurs mantras, tout en égrenant les grains de leurs chapelets, appelés *mala*. Ces deux-là repartent de Lhassa après avoir effectué leur pèlerinage au Potala. Ils retournent par petites étapes vers leur monastère.

Le bus traverse les prairies couvertes de blé et d'orge. Cette année, le temps a été clément, et les céréales sont mûres, prêtes à être fauchées. Déjà, on voit dans certains champs des villageois couper les tiges à la serpe. Les balles (les enveloppes) de céréales sont assemblées par les enfants et chargées sur de petits ânes. On étalera la récolte sur la route qui traverse le village, pour qu'elle sèche, et les camions, en roulant dessus, sépareront les grains. La route commence à grimper, elle est étroite et, à certains endroits, deux véhicules ne peuvent pas se croiser. Il faut alors que l'un des deux fasse marche arrière. Pour arriver à Mendui, il faut franchir un col, dont l'altitude se situe à 4 400 mètres, et ce n'est pas le plus haut ! Le paysage change, l'herbe est bien verte, mais à cette altitude on ne peut plus cultiver : on voit alors des troupeaux de yacks, de moutons et de chèvres qui paissent.

Soso lha gyalo ! Soso lha gyalo ! **« Les dieux sont vainqueurs ! »** crie le conducteur en franchissant le col. Des fenêtres du bus s'envolent des petits bouts de papier, comme des confettis, sur lesquels sont imprimés des dessins de chevaux et des prières : « Merci aux dieux de nous avoir permis de franchir leur royaume sans encombre ! » La route redescend. Sem Dui est heureux. Il est habitué à l'altitude, mais parfois il en souffre, et le mal de tête le saisit.

Un dernier passage à gué d'un torrent – car il n'y a pas des ponts partout –, et voilà son village qui se profile à l'horizon ! Adossées à la montagne se détachent les maisons blanches à deux étages. Aux cadres des fenêtres en bois, de petits rideaux blancs volent. Les huit signes qui doivent apporter la chance et le bonheur sur la famille y sont peints : les poissons d'or, le nœud sans fin, le parasol, la roue de la vie, le coquillage, la bannière de victoire, le lotus et le vase aux trésors. Les toits plats, sur lesquels sont entreposés le bois et les briques de bouse de yack pour le chauffage, sont surmontés de drapeaux de prière multicolores. Chaque maison est entourée d'une enceinte, qui délimite la cour où l'on garde les animaux.

🌿 Une culture pastorale

Le père et la mère de Sem Dui attendent son retour avec impatience. Ils font beaucoup de sacrifices pour que leur fils aille à l'école.

Cela coûte cher : il faut des vêtements, des fournitures, payer les trajets en bus jusqu'à la ville. Sem Dui ne pourra pas s'offrir les heures de cours supplémentaires pour être dans les meilleurs. De plus, on l'attend pour qu'il accomplisse sa part de travail à la maison, car tous les membres de la famille participent, même les enfants. Il y a tant à faire entre l'agriculture et l'élevage ! Lorsqu'il rentre, c'est la fête : sa maman lui a préparé des *momo*, raviolis farcis à la viande de yack. Demain, il ira saluer les autres membres de la famille.

Sem Dui est déjà embauché : son frère, Norbu, qui doit ramener le troupeau de yacks vers les pâturages d'automne, lui a demandé de l'aider.

Le jeune garçon a échangé l'uniforme scolaire contre la *chuba* tradi-tionnelle : c'est une grande robe en peau. Un sac de *tsampa* (de la farine d'orge grillée), quelques briques de feuilles de thé séché, un peu de viande de yack séchée, et voilà notre petit Tibétain prêt à voyager ! De l'eau, il en trouvera en chemin : l'Himalaya est un réservoir naturel. De ses montagnes partent les plus grands fleuves d'Asie : le Yangzi Jiang chinois, le Brahmapoutre indien et le Mékong vietnamien.

La vie est rude pour les pasteurs tibétains : il faut emmener les troupeaux loin du village et les changer souvent de pâturage, à une altitude toujours très élevée ; on reste des mois loin de son village. Même en été les nuits sont très fraîches : le vent souffle et la tente de toile est bien légère… On fait du feu, dans un poêle transportable, avec les bouses de yack séchées qui sont un bon combustible, mais la nourriture n'est pas variée : la femelle du yack donne le lait, le beurre, la viande et, pour le reste, il faut faire du troc avec les agriculteurs de la vallée qui produisent les céréales pour la *tsampa* et le *chang* (la bière), et quelques légumes. On achète le riz et les fruits à la ville.

Sem Dui aime bien son frère, et ils discutent de longues heures ensemble. Norbu veut tout savoir sur ce que Sem Dui voit à la ville. Tous deux sentent bien que le monde change, même au Tibet.

Le Tibet évolue très vite : on construit de nouvelles routes et même une voie de chemin de fer, la plus haute du monde. Elle reliera Lhassa à Xining, la capitale du Qinghai. Cela effraie les Tibétains qui sont très attachés à leur culture, à leur langue, à leur pays avec toutes ses particularités. Ils ont peur de perdre petit à petit leur identité culturelle, c'est pour cela que les sentiments de Sem Dui sont partagés : il veut de tout son cœur préserver les traditions de son peuple et, en même temps, il souhaiterait gagner un peu plus de confort.

Crédits photographiques :

Couverture : © Digital Vision/Getty Images
p. 4 © China Photos/Getty Images
p. 7 © James Nelson/Getty Images
p. 12 © Free Agents Limited/Corbis
p. 15 © Keren Su/Getty Images
p. 17 © Bettmann/Corbis
p. 19 D.R.
p. 24 D.R.
p. 27 © Jose Fuste Raga/Corbis
p. 28 D.R.
p. 30 © Corbis Sygma
p. 33 © Bruce Dale/Getty Images
p. 38 © D.E. Cox/Getty Images
pp. 40/41 © Julia Waterlow ; Eye Ubiquitous/Corbis
p. 45 D.R.

Achevé d'imprimer en mars 2006 en France

Produit complet POLLINA - L99573

Dépôt légal : septembre 2005
ISBN : 2-7324-3356-X

Conforme à la loi n° 49-956 du 16 juillet 1949
sur les publications destinées à la jeunesse

我爱中华
黑龙
吉
长春
林
区
内蒙古自治区
呼和浩特
甘
肃
辽
宁
沈阳
河
北
渤海
山
西
太原
石家庄
银川
宁夏回族自治区
陕
西
西宁
海
兰州
济南
东
山
黄
海
西安
河郑州南
江
苏
安
徽
南京
合肥
上海市
四
川
成都
重
庆
市
湖
北
武汉
杭州
浙江
湖
南
长沙
江
西
南昌
福
建
福州
台北
台
湾
贵
州
贵阳
云
南
昆明
广西壮族自治区
南宁
广
东
广州
香港
澳门
海口
海南